70 JEUX

et des broutilles...

pour bronzer
à la plage

Bernard Myers

Illustrations de Michel Hellman

D1431583

Les Presses Libres

Une compagnie de Quebecor Media

Sommaire

solution
p.82

compatible avec la posture des orteils en éventail

Transats

Les transats de 1 à 4 forment une série.
Pour la poursuivre, **quel transat faut-il placer en cinquième position ?**

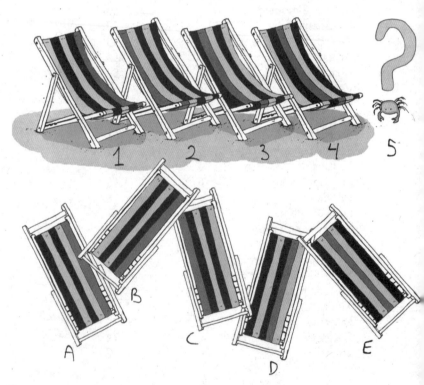

Astuce : avez-vous essayé les boucles d'oreilles en oursins ?

compatible en éventail avec la posture des orteils

solution
p.82

Bracelets

2 bracelets sont identiques : **lesquels ?**

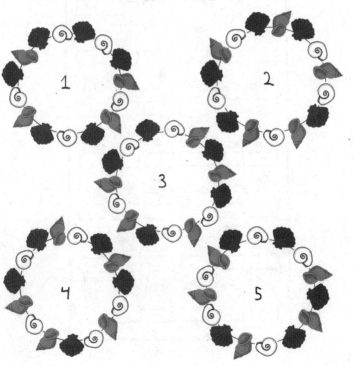

solution p.82 compatible avec la posture des orteils en éventail

Crypto-mots I

Chaque signe correspond à une lettre.
Le premier mot est FUSION.

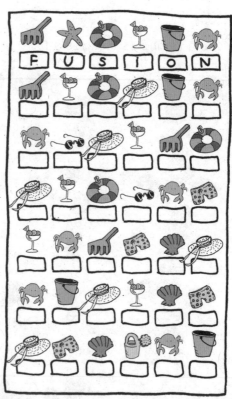

À vous de trouver les mots suivants.

Crypto-mots II

Chaque signe correspond à une lettre.
Le premier mot est REGGAE.

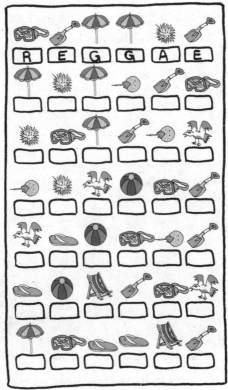

À vous de trouver les mots suivants.

solution p.83

Le nombre de la fin

Tracez une ligne droite qui divise le rectangle
en 2 parties, séparant des autres les nombres
divisibles par 3. Puis, tracez une autre ligne coupant
la première pour séparer les nombres dont
la somme des chiffres est un nombre pair de ceux
dont la somme est impaire. Barrez ensuite tous
les nombres contenant un 7. Dans une section
délimitée par vos 2 lignes droites, il ne restera
qu'un seul nombre. Barrez tous les autres contenant
l'un de ces 3 chiffres.

173   572   88
   226 763   71
562
766   176   471
   607
         93   147
971   78   486   774 33
315
                99   756
4038 777 666   705

**Combien reste-t-il de nombres impairs
divisibles par 3 ?**

solution p.84
compatible avec la posture des orteils en éventail

Aux douches du camping

Attention, la première et la dernière arrivées mentent !

« Je suis arrivée avant Betty. »

« Je suis arrivée avant Noémie. »

« Je suis arrivée avant Noémie. »

« Sally est arrivée avant Olga. »

« Olga est arrivée après moi. »

DOUCHES

Noémie   Olga   Sally   Betty   Chloé

À qui le tour ?

solution p.85

compatible avec la posture des orteils en éventail

Visite à l'arboretum

Entre les points numérotés, tracez 4 clôtures
en lignes droites (qui peuvent se croiser)
pour délimiter des zones qui ne contiennent que
des arbres d'une même espèce. Chaque section
comprendra donc au moins un arbre et jamais
2 essences différentes.

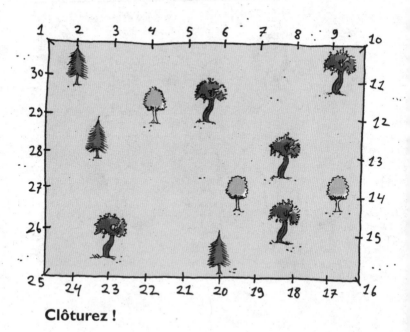

Clôturez !

compatible avec la posture des orteils en éventail

solution
p.86

Un manuscrit au grenier

Voici une pile de feuilles numérotées au recto
et au verso de 1 à 80 (1 sur le dessus de la pile).
Un premier lecteur a pris les feuilles et, sans
les retourner, les a reposées une à une en pile.
Un deuxième lecteur a pris les feuilles de
cette nouvelle pile et les a reposées en les tournant
une à une (la face en haut devenant la face en bas).
Un troisième lecteur, enfin, a pris la pile et
l'a retournée en bloc.

**Quel est le numéro de la page qui se trouve
maintenant sur le haut de la pile ?**

Astuce : si le jeu vous semble trop facile, jetez toutes les feuilles en l'air avant de commencer.

solution p.86

compatible
avec la posture des orteils en éventail

Dates de vacances

Karine : « Cette année, j'ai pris 4 semaines de vacances (28 jours). »

Pauline : « Je suis partie en vacances 9 jours après Karine. »

Fatima : « Je suis rentrée de vacances 5 jours avant Karine. »

Charlotte : « Je suis partie un jour avant Pauline, je suis rentrée un jour après Fatima. J'ai eu 2 jours de vacances de moins que Pauline et 5 jours de plus que Fatima. »

Dans quel ordre ces vacancières sont-elles parties et dans quel ordre sont-elles revenues ?

Indice : Charlotte est aux 4/5 et Pauline est aigrie.

Conseil : volez vite les jouets du petit, là-bas ; ses parents sont en train de se baigner.

solution p.88
compatible en éventail
avec la posture des orteils

Alignements sur la plage

Comment faut-il placer les jouets
(un par cercle) pour qu'aucun alignement
ne comporte deux fois le même jouet ?

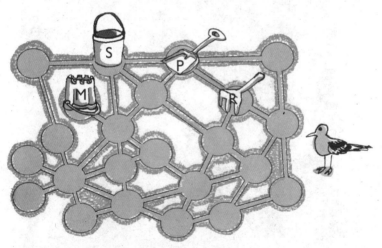

Quel jouet revient le plus souvent ?

compatible
avec la posture des orteils
en éventail
solution
p.89

Jardin de sculptures

Vous souhaitez traverser le jardin de façon
à voir chaque sculpture, mais en empruntant
un chemin qui ne revient pas en arrière
et qui ne se recoupe jamais.

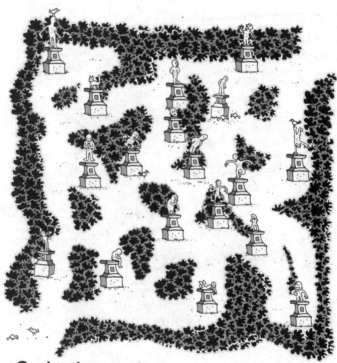

Quel trajet prendre ?

solution
p.90
avec la posture des orteils en éventail
compatible

Le mot qui manque

Quels mots faut-il écrire horizontalement dans la grille pour former verticalement un mot de 8 lettres ?

L	A		E	T
E	T		I	S
C	A		E	R
T	I		R	E
P	E		T	E
C	O		U	E
S	O		T	E
P	O		L	E

solution p.90

compatible avec la posture des orteils en éventail

À table !

- Marianne est à la droite de Paul et à la gauche de Michel.

- Daniel est en face de Lise et à la gauche de Christophe.

- Une rose a été placée sur l'assiette des dames.

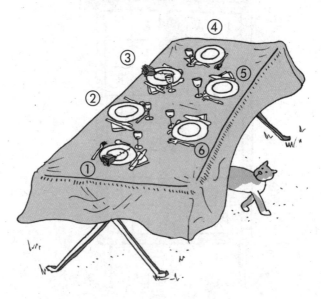

Placez chaque convive.

Conseil : pour changer de disque, organisez un frisbee-party au jardin avec les CD de votre fils.

compatible en éventail avec la posture des orteils

solution p.91

Mots-disques

Chacun de ces disques suggère un mot qui commence par disc (ou disqu).

CHUT!

À vous de jouer !

Parasols

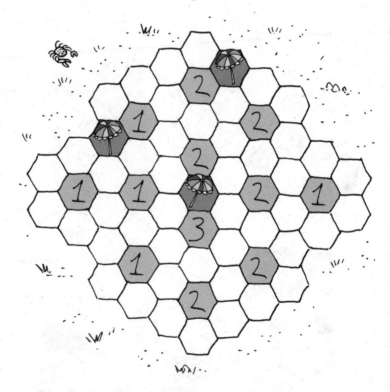

Aucun parasol ne doit en côtoyer un autre.
Les chiffres indiquent le nombre de parasols qui
se trouvent dans les hexagones autour de ce chiffre.

Placez les autres parasols.

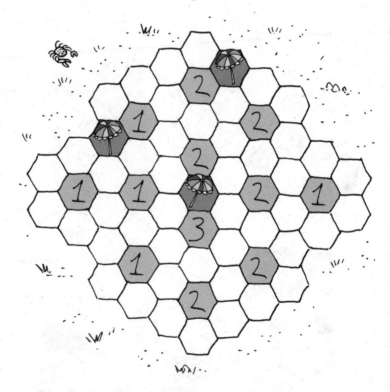

18

solution
p.93

Ballons de plage

Aucun ballon ne doit en côtoyer un autre.
Les chiffres indiquent le nombre de ballons qui
se trouvent dans les hexagones autour de ce chiffre.

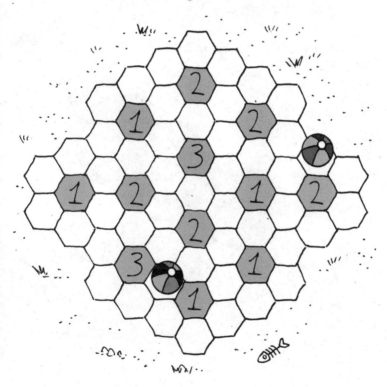

Placez les autres ballons.

solution p.93

compatible avec la posture des orteils en éventail

Le trésor du château

Un trésor est caché dans ce château. Pour trouver où, il suffit de savoir qu'il est indiqué correctement sur le seul plan qui donne une vue exacte du dessus du château.

Où chercher le trésor ?

Conseil : avant de sonder frénétiquement les châteaux de sable avec votre détecteur de métaux, relisez la question.

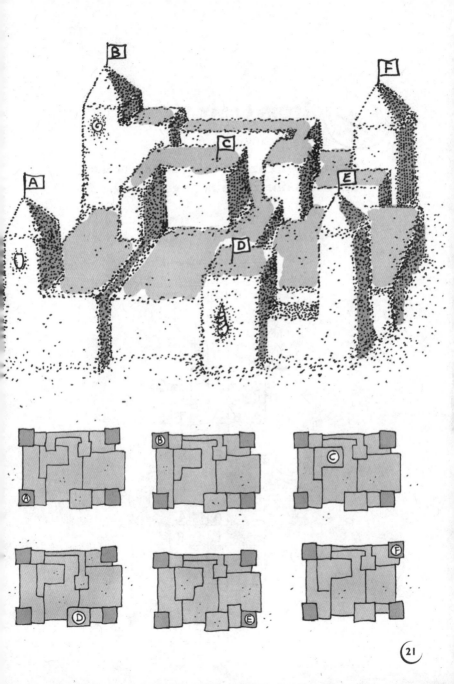

solution p.94

Trois croix

Complétez chaque croix pour former des mots horizontaux et verticaux.

solution p.95

Opération de plage

Chaque dessin remplace un chiffre dans les opérations suivantes.

Retrouvez les valeurs de chaque dessin.

solution
p.95
compatible en éventail avec la posture des orteils

Soirée costumée

• Erwan et Ronald portent le même chapeau.

• Mathieu et Pierre ont la même veste.

• Ronald et Mathieu portent le même pantalon.

• Erwan et Yvan ont les mêmes chaussures.

• Ni Ronald ni Erwan n'ont de moustache.

Identifiez les invités !

Conseil : l'été dernier vous étiez brûlé au 3e degré. Cessez de vous plaindre et remettez votre polar.

solution
p.96

compatible avec la posture des orteils en éventail

Citation nuageuse

Des nuages masquent partiellement la citation de Jean Simard.

Déchiffrez cette citation.

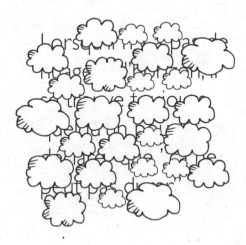

solution p.96

Vacanciers

Certains passent le mois de juillet à bronzer au bord de la mer, puis ils font de même en août à la montagne.

Retrouvez ces 10 personnages.

solution p.97

compatible avec la posture des orteils en éventail

La pyramide

Pour obtenir cette pyramide, il suffit de remplacer tous les *a* par un même signe (+, -, × ou ÷), tous les *b* par un même chiffre, et tous les *c* par un même signe. **Lesquels ?**

Conseil : personne n'est dupe. Dessinez la jungle qui entoure ce temple aztèque au lieu de faire semblant de chercher.

$$9 \text{ a b c } 7 = 88$$
$$98 \text{ a b c } 6 = 888$$
$$987 \text{ a b c } 5 = 8888$$
$$9876 \text{ a b c } 4 = 88888$$
$$98765 \text{ a b c } 3 = 888888$$
$$987654 \text{ a b c } 2 = 8888888$$
$$9876543 \text{ a b c } 1 = 88888888$$
$$98765432 \text{ a b c } 0 = 888888888$$

solution
p.97

compatible avec la posture des orteils en éventail

Parasol à part

Trouvez le parasol intrus, celui qui ne suit pas la même règle que les autres.

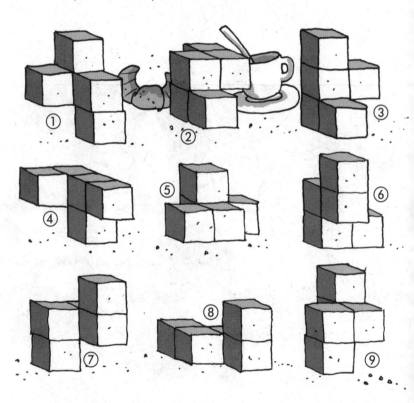

Cubes

solution
p.98
compatible llatneve ne
avec la posture des orteils

Ces assemblages de cubes sont tous formés
de paires identiques. Tous sauf un…

Lequel ?

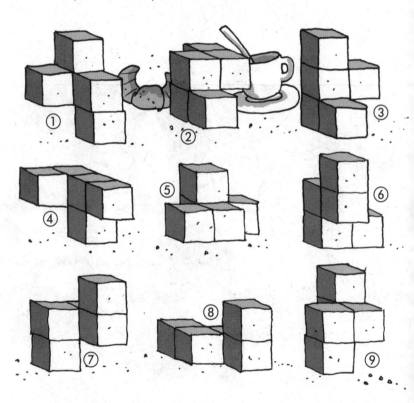

Mosaïque

En vacances à Pompéi, vous découvrez
une mosaïque tout en marbre blanc, sauf les parties
triangulaires, qui sont en marbre noir.

**Pour retrouver le motif de la mosaïque,
noircissez les triangles.**

(31)

solution
p.99

compatible avec la posture des orteils en éventail

Mot d'été

Trouvez les lettres selon les indications de la page 33 et notez-les dans les cases numérotées.

• La première lettre est dans la paillote et dans la tente, mais pas dans la caravane ni dans la cabine de plage.

• La seconde lettre apparaît une fois dans la caravane et deux fois dans la cabine de plage.

• La troisième lettre apparaît une fois dans deux dessins et deux fois dans deux autres dessins.

• La quatrième lettre apparaît une fois dans chaque dessin.

• La cinquième lettre apparaît une fois dans la caravane, la tente et la paillote, mais pas dans la cabine de plage.

• La sixième lettre est dans la caravane et dans la paillote, mais pas dans la cabine de plage ni dans la tente.

Formez un mot avec les lettres trouvées.

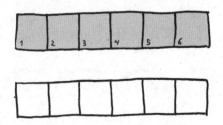

solution
p.99
compatible avec la posture des orteils en éventail

Alignements magiques

Formez des alignements magiques en inscrivant sur chaque emplacement libre l'un des nombres donnés.

Pour que les alignements soient magiques, il faut que le total des 4 nombres sur chaque alignement horizontal, vertical et sur les 2 grandes diagonales soit toujours égal à 98.

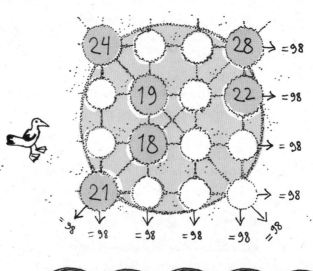

solution
p.100
compatible en éventail
avec la posture des orteils

Thé ou café ?

Dans chaque groupe de lettres ci-dessous, on peut former un mot en glissant les lettres de *thé* ou de *café* dans l'ordre. Ainsi avec les lettres MEOD, on peut placer THÉ pour former métTHodE, ou de la même manière, avec ARDUX on peut placer CAFÉ et former CAFardEux.

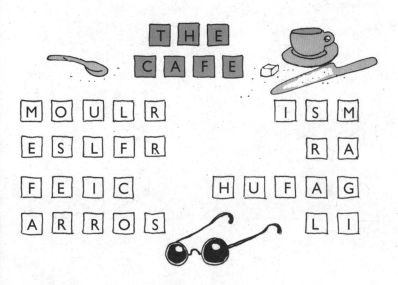

T H E

C A F E

M O U L R   I S M

E S L F R   R A

F E I C   H U F A G

A R R O S   L I

Où faut-il placer thé ou café ?

35

compatible avec la posture des orteils en éventail

solution p.101

L'agence de voyages

La carte de cette agence comprend 10 erreurs grossières. **Lesquelles ?**

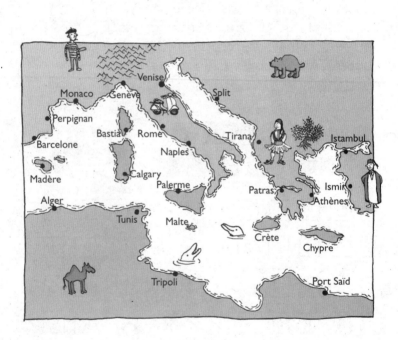

solution
p.102

compatible avec la posture des orteils en éventail

Les sabliers I

Vous avez un sablier de 4 min et un autre de 7 min.
Il vous faut compter 6 min de cuisson en perdant
aussi peu de temps que possible.

Comment faire ?

Conseil : ouvrez donc un bon vieux taboulé en barquette, vous êtes en vacances.

compatible en éventail
solution
p.103
avec la posture des orteils

Les sabliers II

Vous avez maintenant un sablier de 5 min et un autre de 7 min. Il vous faut compter 13 min de cuisson en perdant aussi peu de temps que possible.

Comment faire ?

solution
p.103

La villa des Flots Bleus

Quand Raymond, agent immobilier, fait visiter cette villa, il la traverse d'une flèche à l'autre et passe toujours par toutes les pièces, mais sans jamais revenir dans une pièce déjà traversée. Raymond suit un trajet différent à chaque fois.

Combien de trajets différents peut-il emprunter ?

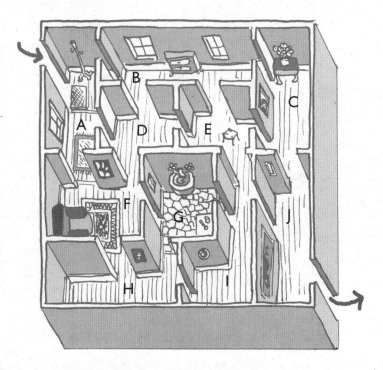

Récit-rébus

Déchiffrez l'histoire !

10 A · 🔪 · i G

1 JANVIER · t' · 1 JANVIER · du 1 c · 🍜

2 · 🐦 · 🎲 : C · 🏠 · qui · 🔧

1 · 🦨 · ?" · A · 🎵 · D ⌒ U :

" · 🌿 · 1 · 🪑 · K · 🛏 MON !
30$ · · · CHEZ

IL NE DIT PAS LA VÉRITÉ...

Vacances à la ferme

1. Coin-coin, qui est un canard, est juste devant Mangetout.

2. Karpi, Mangetout et Régime se trouvent chacun entre 2 animaux d'espèces différentes.

3. Non-non se trouve juste entre Pondeuse et Régime.

4. Beque est plus vers l'avant que Duvet.

5. Splouf est juste entre les poules Odette et Pondeuse.

Identifiez les poules et les canards.

solution
p. 106

compatible en éventail avec la posture des orteils

De la plage à la mer

En partant du SABLE, plongez dans la VAGUE
de la mer uniquement avec des lettres.
Passez d'un mot à l'autre par étapes successives en
ne changeant qu'une lettre à la fois, toutes les autres
restant à leur place. Pour passer de SABLE à VAGUE
nous avons emprunté 4 étapes intermédiaires.

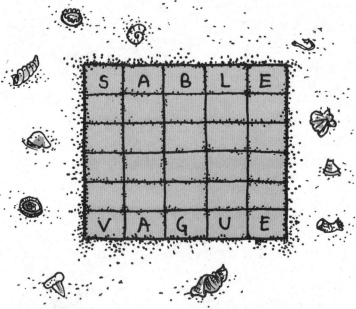

**Pouvez-vous en faire autant ou plus
court encore ?**

solution p.106

Les glaces de l'été

Il faut une glace (pas plus) dans chaque alignement. En tenant compte de celle déjà placée, **placez les 6 autres glaces.**

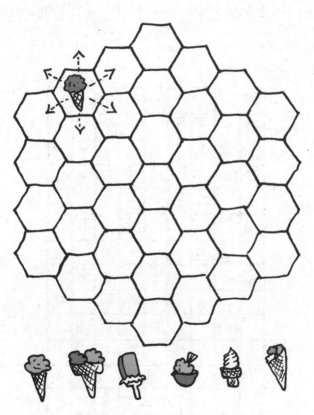

Suivez les drapeaux

Trouvez le chemin de 1 en bas à gauche jusqu'à 2 en haut à droite. Suivez l'une des directions indiquées soit par le grand drapeau, soit par le petit drapeau à l'intérieur d'un grand, jusqu'à ce que vous rencontriez un autre drapeau. Ne changez jamais de direction dans une case sans drapeau.

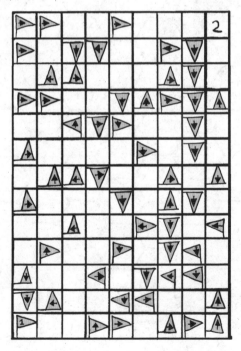

solution
p.107

compatible en éventail avec la posture des orteils

Le régime de l'été

Depuis qu'elle suit un régime, Josiane voit des aliments partout. Dans « elle régla cette facture » elle ne voit que le mot glace (elle ré**gla ce**tte facture).

Combien de mots évoquant la nourriture pouvez-vous trouver dans ce texte ?

« Allons bon, bonté divine ! » s'écria Barnave Tubœuf en quittant L'Espoir Enivrant, ce bistrot infâme qui se trouve au coin de la rue de La Chouette, juste à côté du porche marron au crépi centenaire et des halles au centre de la ville. C'était un personnage mal rasé, au regard qui file toujours de biais, ingrat, insolent, à la mine pâlotte. Soudain, ce gaillard, sans doute pour faire une farce, frappa inexplicablement des jumeaux qui passaient par là, s'écria : « J'ai oublié mon flacon ! », fit demi-tour et ajouta : « J'irai en acheter un autre. » Il passa la dernière partie de la nuit au commissariat où il dégrisa, la mine défaite. Comme nul ne peut expliquer son geste et que chacun doit vivre selon son idée, nous terminons ici le récit de cette affaire pas très nette.

solution p.108

Cure thermale

Barrez dans la grille les mots correspondant aux instructions ci-dessous. Une fois que vous aurez terminé, les mots non barrés formeront dans l'ordre une citation du romancier américain Mark Twain.

1. Dans les rangées 5 à 10, barrez les mots qui se prononcent eau (homophones).

2. Dans les colonnes A et B, barrez les mots qui désignent une catégorie d'eau (eau courante, eau plate, etc.).

3. Dans les rangées 5 à 10, barrez les mots qui se terminent par les lettres EAU.

4. Dans les colonnes C, D et E, barrez les mots qui désignent un produit dont le nom commence par « Eau de… ».

5. Dans les rangées impaires, barrez les mots qui ne comprennent que les 3 voyelles E-A-U mais pas dans cet ordre (par exemple : massue).

6. Dans les colonnes A, C et D, barrez les mots qui désignent quelque chose qui se termine par « … d'eau ».

7. « Liquide inodore, incolore et transparent quand il est pur » : barrez les mots de cette définition du *Petit Robert* dans les colonnes C, D et E.

8. Barrez les mots qui contiennent deux fois la voyelle O dans les colonnes B, C, D et E.

	A	B	C	D	E
1	GOUTTE	PRISE	NATURE	MOUTONS	QUAND
2	MINÉRALE	AFFOLONS	VERRE	AVEC	SOURCE
3	AUTRE	COLORIS	NÉGOCIATION	CHÂTEAU	MOTOS
4	MODÉRATION	BÉNITE	JAVEL	PLUIE	L'EAU
5	NE	AUX	LIQUIDE	MARTEAU	TANGUER
6	OH	PEUT	DRAPEAU	HAUT	EST
7	GAZEUSE	AMUSER	OS	NUIRE	TABLEAU
8	A	OXYGÉNÉE	INCOLORE	PIÈCE	LA
9	CHAPEAU	MANUEL	TOILETTE	INODORE	COLOGNE
10	JET	DISTILLÉE	SANTÉ	AU	CERVEAU

Conseil : ne choisissez pas le maillot, le goût en est décevant.

compatible avec la posture des orteils en éventail

solution p.109

Maillot ou dessert

Pour comprendre cette phrase, faites-lui subir une cure d'amaigrissement en biffant régulièrement certaines lettres.

À vous de décider de la fréquence : une lettre sur deux, une sur trois, ou une sur quatre. Ensuite, il faut trouver par quelle lettre commencer (la première, la seconde ou la troisième) et, finalement, il faut restituer les espaces entre les mots.

SPLAUSSUNERENGIOMELESOTRIESATROICHTIE
FPALUSSIELAPLICMEUNTIELLACHONIVETRSEA
THIOUN

solution p.110

Le rock et les coups de soleil

• Héloïse aime le rock.

• Seules les personnes coléreuses attrapent des coups de soleil.

• Les personnes coléreuses n'aiment pas le rock.

• Tous les habitants d'Ouça ont des coups de soleil.

Les affirmations suivantes sont-elles compatibles avec ces informations ?

I. Héloïse a des coups de soleil.

2. Louis est coléreux, mais n'a pas de coups de soleil.

3. Héloïse habite à Ouça.

4. Florence aime le rock et n'a pas de coups de soleil.

solution p.111

Bronzage modèle

Le bronzage de Mélissa est tout simplement sublime. Persuadées que cela tient aux produits qu'elle utilise, ses amies ont chacune acheté l'un d'eux.

Voici les sacs. Chacun contient l'un des produits qu'utilise Mélissa (un seul, pas plus).

Quel est le sac de Mélissa, qui contient les 4 produits miracles ?

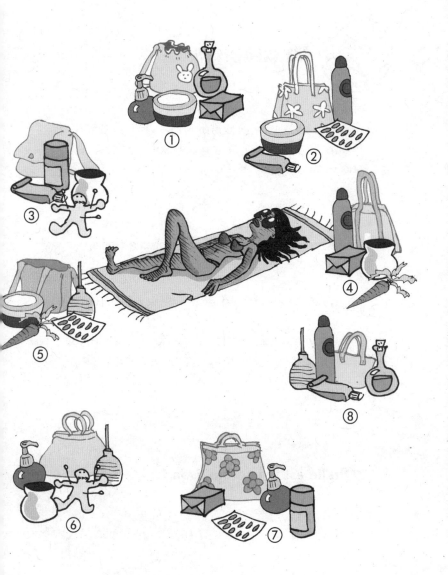

solution p.111
compatible avec la posture des orteils en éventail

Le cadenas

Le cadenas à combinaison numérique de votre maison de vacances comprend 4 chiffres différents. Pour vous rappeler la combinaison, vous avez noté que :

• La somme des 4 chiffres est égale à 22.

• La somme des 2 premiers chiffres est égale à la somme des 2 derniers.

• Le dernier chiffre est égal à deux fois le premier.

• La somme du premier et du dernier chiffre est égale au produit du premier et du troisième.

Quelle est la combinaison ?

Astuce : ne cherchez plus, sortez la barre à mine.

Téléroman sous le soleil

Voici un jeu à faire à plusieurs. **Munissez-vous d'un crayon pour écrire collectivement le scénario de ce passionnant feuilleton en complétant les phrases.**

Quand *(un ami masculin)*... se réveilla ce matin-là, il avait mal à/aux *(partie du corps)*................................... suite aux événements de la veille. Mais il n'eut pas le temps de se lamenter sur son sort, car *(une amie féminine)* .... tambourinait à sa porte. Elle lui annonça qu'elle venait de découvrir que *(un héros TV)* .... avait enlevé *(une héroïne TV)* .... et la séquestrait dans *(une demeure célèbre)*

....

« Il faut absolument sauver cette *(mot pour qualifier une femme)* .... des bras de ce *(mot pour qualifier un homme)* ....», hurlèrent-ils en chœur. « Prenons ton/ta *(un véhicule)*...................... ....et munissons-nous de/d' *(un outil)* ....

pour la délivrer ! » Arrivés à *(lieu de la séquestration)*
...., ils eurent
la mauvaise surprise de voir que *(un autre héros TV)*
....

étais déjà là avec *(un nombre)* ....
(un objet) ....
....

« Que comptez-vous faire avec tout ça ? »
demandèrent-ils.
« C'est pas vos *(un légume)* ....
............................! » répliqua-t-il bizarrement.
« Ce n'est pas un épisode de *(une série TV)* ....
.... dégagez ! »
À cet instant, ils entendirent *(un bruit)* ....
.... puis la voix du kidnappeur :
« Écoutez-moi bien, bande de *(une insulte)* ....
.... , si vous ne m'apportez pas
immédiatement *(un nombre)* ....
.... de *(un objet)* ....
d'ici une heure, votre amie ne durera pas
(une durée de temps) ....
(prénoms des deux amis) ....
.... échangèrent un regard inquiet : *(excla-*
mation) « .... », s'exclamèrent-ils, et
comme un seul homme, ils saisirent leur *(un objet)*
.... et se précipitèrent dans
la demeure.

Le forcené saisit sa victime par le/la *(partie du corps)*
.... et menaça de la frapper avec
son/sa *(un objet)* ....
« Laissez-le ! hurla *(l'héroïne TV du début)*........................
........................sinon, il risque de *(un verbe d'action)*
....»
Et malheureusement, c'est précisément ce qu'il fit,
avec les conséquences que vous pouvez imaginer.
« Tabarouette ! glapit *(prénom d'une amie)*..........................,
cette histoire se termine moins bien qu'un épisode
de *(un titre de série TV)* ....»

Conseil : cessez d'écraser les puces de sable entre deux pages. Ce jeu demande de la concentration.

solution p.112
compatible avec la posture des orteils en éventail

Anachrostiche I

Trouvez une anagramme de chaque mot et inscrivez le nouveau mot dans les cases correspondantes pour former 2 mots verticaux dans les cases grisées. Les lettres déjà placées vous donneront un coup de pouce.

EVIDER			R		
SAURES	U				
CROATE				O	
LASCIF					
NOVAIS					
LIMACE					
LANGER					
EPODES				O	

compatible en éventail
avec la posture des orteils

solution
p.113

Anachrostiche II

Trouvez une anagramme de chaque mot ou nom propre et inscrivez le nouveau mot dans les cases correspondantes pour former 2 mots verticaux dans les cases grisées. Les lettres déjà placées vous donneront un coup de pouce.

DICTEE			I			
LEGAT						
USITES			I			
LAPAT				A		
COCHIN						
ECRIT						
ASSENE						

Café au lait

6 tasses sont disposées en triangle. 2 d'entre elles sont pleines de café au lait (1 et 6) avec moitié lait et moitié café. L'une est pleine de lait (4), une autre pleine de café (2), l'une à moitié pleine de café (5) et l'une est vide (3).

En ne touchant que 2 tasses, comment faire en sorte qu'il y ait autant de lait que de café le long de chaque côté du triangle ?

solution p.115

Mots découpés I

Redisposez les sections délimitées par les lignes en gras du carré 1 dans le rectangle 2 pour former horizontalement 4 mots de 9 lettres qui prêtent à sourire. 4 lettres déjà placées vous aideront à trouver les premiers emplacements.

O	L	A	R	A	N
R	I	T	D	R	O
L	E	M	R	I	G
E	N	T	S	E	I
D	P	S	U	E	L
H	I	L	A	T	E

①

D								
			L					
						E		
		A						

②

compatible avec la posture des orteils en éventail !
solution
p.116

Mots découpés II

Redisposez les sections délimitées par les lignes en gras du carré 1 dans le rectangle 2 pour former horizontalement 4 mots de 9 lettres qui ont un thème commun. 3 lettres déjà placées vous aideront à trouver les premiers emplacements. Attention, il y a un piège…

①

L	I	C	R	I	E
T	R	A	I	T	E
D	U	P	I	T	E
S	N	O	S	I	H
T	R	O	N	O	I
E	S	P	M	P	E

②

	S							
					S			S

solution p.117

Bronzette

Trois amies sur la plage… La plus bronzée des trois est la plus petite.
Trouvez son prénom et celui de ses amies.

• Entre Sarah et Noémie, la plus jeune des deux est la plus grande des trois.

• Entre Noémie et Élisa, la plus grande des deux est la plus âgée des trois.

• Entre Sarah et Élisa, l'aînée des deux est la plus grande des trois.

solution p.117

compatible avec la posture des orteils en éventail

Par les nuits de pleine lune...

Regardez donc monsieur Dupont, votre voisin de camping. Qui pourrait imaginer ce qui lui arrive quand il sort un soir de pleine lune ? Voici les stades successifs de sa transformation en loup-garou.

Retrouvez l'ordre et notez les lettres qui accompagnent chaque étape de la métamorphose : vous formerez son surnom nocturne.

l

p

e

o

u

i

i

u

d

m

e

l

t

n

| L | | | | | | | | | | | | | |

solution p.118

Le tour de l'assiette

Pour trouver une phrase autour de l'assiette, **barrez une lettre sur 3, trouvez la première lettre puis restituez les espaces entre les mots.**

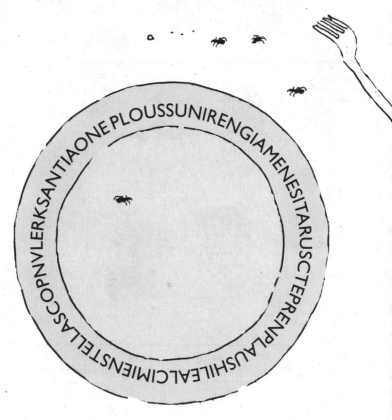

compatible éventail
avec la posture des orteils
solution
p. 118

Les bagages

À faire valise commune, on s'y perd. Vous savez que, parmi ces articles :

• 2 bijoux sont à Florence.

• 2 articles ayant une partie en bois sont à Paul.

• 2 articles de fumeur sont à Charles.

• 2 articles entièrement métalliques sont à William.

• 2 articles sur lesquels il y a des lettres sont à Bernard.

L'une de ces personnes est connue sous 2 prénoms différents. **Rendez à chacun ses affaires et trouvez à qui attribuer la double identité.**

solution
p. 119

Lab-dessins

Trouvez le chemin de la case à l'étoile en bas à gauche à celle en haut à droite.

Déplacez-vous en sautant d'une case à l'autre, à condition qu'elles se trouvent sur la même colonne ou la même rangée et qu'elles contiennent l'une et l'autre soit le même dessin, soit le même chiffre.

solution p.120

Les pots de fleurs

On ne trouve pas deux fois la même variété dans chacun de ces 9 pots.

Comment les répartir en 3 lots pour offrir à chacun de vos 3 hôtes 6 sortes de fleurs différentes... sans transplantation ?

solution
p.120
compatible avec la posture des orteils en éventail

Vacances en Égypte

Voici un même texte (d'un écrivain anonyme de l'ancienne Égypte) écrit à l'aide de 3 alphabets différents. Vous êtes un Champollion amateur (oui, oui, le célèbre égyptologue !).

Heureusement, les lettres sont situées exactement au même endroit ; donc, si une lettre manque dans un alphabet, on peut généralement la retrouver sur un autre.

Décryptez !

Conseil :
pour la solution, ne demandez
pas d'aide à vos amis égyptiens ;
restez digne.

solution p. 120

compatible avec la posture des orteils en éventail

Au casino

Les jetons ci-dessous ont des valeurs qui correspondent aux chiffres de 1 à 9.

- Le 1 est sur des jetons dont le total est 13.
- Le 2 touche uniquement 2 jetons dont le total est 10.
- Le 3 touche plus de jetons que le 4.
- Le 5 est sous un seul jeton : le 6.
- Le 7 touche plus de 2 jetons.
- Le 8 est sous le 9.

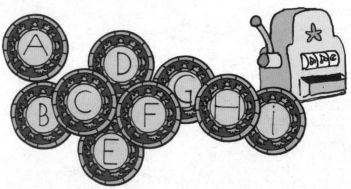

Trouvez la valeur de chaque jeton.

solution p. 122

Trois mini mots-croisés

1. À compléter de façon classique

H I : Ne fait pas le poids.
HII : Plus têtues que les ânes.
HIII : Essence ancienne.
V1 : Rêve de prisonnier.
V2 : Allure équine.
V3 : Rendre glabre.

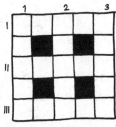

2. Remplacez chaque parasol par une lettre, chaque ballon par une autre et chaque râteau par une autre encore.

3. Complétez les cases vides par les lettres disposées autour.

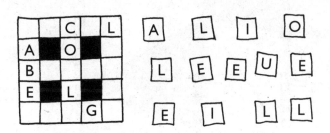

Conseil : pour jouer avec les vrais tableaux du musée, évitez de sortir votre crayon.

compatible avec la posture des orteils en éventail
solution
p. 123

Visite au musée d'art moderne

Combien de triangles d'au moins 2 couleurs voyez-vous dans ce tableau ?

solution
p.124

Club de pétanque

Qui ne sait manifestement pas compter, ici ?

«Dans le club de pétanque, membre sur 16 est une mme.»

«Oui, il n'y a que 5 femmes !»

«Il faut dire que le club ne compte que 64 membres.»

«Il est certain que 6,25 % de femmes, ce n'est pas beaucoup.»

Klügersfeldt   Machprot   El Hayek   Langrenay

solution p.124

Tintinologie

Répondez à ce quiz en tintinologue averti !

1. Quel est le prénom du professeur Tournesol ?
A. Aristide   B. Hégesippe   C. Tryphon

2. Le maître d'hôtel de Moulinsart se nomme…
A. Hector   B. Nestor   C. Norbert

3. Quel est le nom du bateau dont Haddock
est capitaine lorsqu'il fait la connaissance de Tintin ?
A. *Le Karaboudjan*   B. *La Licorne*   C. *L'Aurore*

4. Dupond et Dupont souffrent d'une maladie des
cheveux qui apparaît pour la première fois dans…
A. *Coke en stock*   B. *On a marché sur la Lune*
C. *Tintin au pays de l'or noir*

5. Séraphin Lampion est…
A. Policier   B. Journaliste   C. Agent d'assurance

6. Un tout premier album de Tintin, resté en noir
et blanc, avait pour titre…
A. *Tintin reporter*   B. *Tintin au pays des Soviets*
C. *Tintin en Amérique*

7. Dans *Coke en stock,* Tintin cache Milou…
A. Dans une cruche qu'il porte sur la tête
B. Dans un sac à dos   C. Dans une poussette

8. Quelle est l'insulte que profère le plus souvent
le capitaine Haddock ?
A. Bachibouzouk   B. Pirate d'eau douce
C. Crétin des Alpes

9. Sous le pseudonyme de Ramon Zarate
se cache…
A. Rastapopoulos   B. Le docteur Müller
C. Le général Alcazar

10. Tintin porte un jean brun pour la première fois
dans…
A. *Les bijoux de la Castafiore*   B. *Vol 714 pour Sydney*
C. *Tintin et les Picaros*

compatible avec la posture des orteils en éventail!

solution
p.126

Labatrou

Trouvez le chemin de I à 2.

Progressez le long du chemin et, lorsque vous
arrivez à un point noir, percez la page avec la pointe
de votre crayon… et passez au verso. Continuez
au verso de la même manière jusqu'au point noir
de votre choix : percez, revenez au recto de la page,
etc. Vous passerez ainsi plusieurs fois d'un côté
et de l'autre pour arriver à destination.

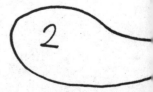

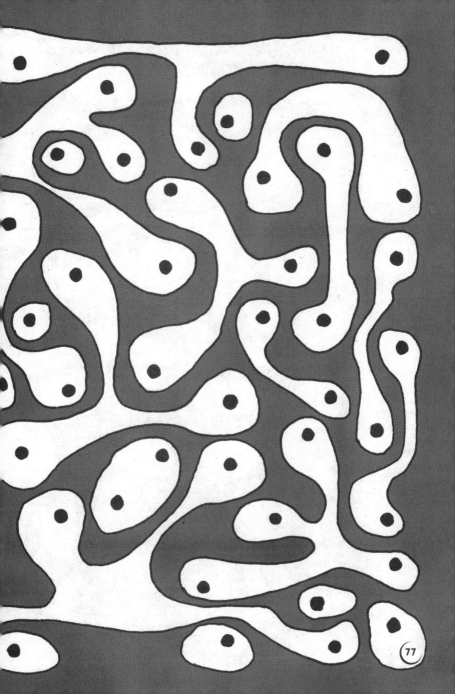

78

solution p.126

Dix derniers petits jeux

1. Le chiffre de la fin

Barrez tous les chiffres qui apparaissent autant de fois que le nombre qu'ils représentent (un 3 trois fois, par exemple).
Barrez ensuite toutes les paires de chiffres soit côte à côte, soit séparées uniquement par des chiffres déjà barrés dont la somme est égale à 10 (ceci peut être fait plus d'une fois).

Il ne devrait rester qu'un seul chiffre : lequel ?

6748519849746878861572316786887426213

2. Date de naissance

A, B, C et D représentent les 4 chiffres de l'année de naissance d'un célèbre logicien. Trouvez cette date à l'aide des indications suivantes :

$B = 4 \times D$
$C - D = A$
$C \times D = B - D$

3. Lettre-plus

Trouvez la lettre qu'il faut ajouter plusieurs fois à chacun des groupes ci-dessous pour former 4 mots. Les lettres données resteront dans le même ordre.

O N O T E R   I A T R I E
R E E L L E   S U I N T E

4. À chacun son métier

Si Bob est analyste, Joël industriel, Foucault entomologiste et Appolina zoologiste, quelle est la profession de Benoît ?
Agriculteur – Médecin – Ailier droit – Gérant d'aéro-club – Administrateur – Plombier – Architecte.

5. Famille

Richard a autant de frères que de sœurs ; Lucie, sa sœur, a deux fois plus de frères que de sœurs. Combien y a-t-il d'enfants dans cette famille ?

6. Charade I

Mon premier prend un entonnoir pour un chapeau.
Mon second fait fureur chez les mordus.
Il fait bon humer mon troisième.
Mon tout qualifie une plante ou décore un militaire.

7. Charade II

Mon premier vient toujours deux par deux.
Mon second se taille et à l'occasion empoisonne.

Mon troisième se fredonne.
Mon quatrième est un cri généralement provoqué par une souris.
Mon tout se trouve tout autour du centre.

8. Lettres imbriquées I

Formez un mot en plaçant les lettres données dans l'une des cases proposées.

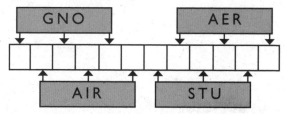

9. Lettres imbriquées II

Formez un mot en plaçant les lettres données dans l'une des cases proposées.

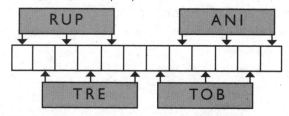

10. Vésuve

Rassemblez les fragments et trouvez 7 mots qui évoquent tous les volcans.

ROLLE LA MA PAN RA NEE CRA DEI
CAL TERE CHE VE ACHE MI FUME MAG

Solutions

 ## Transats

La chaise D. Les bandes progressent vers la droite.
Arrivées au bord droit, elles reviennent du côté gauche.

 ## Bracelets

2 et 4.

Il faut repérer une séquence de coquillages qui n'apparaît
qu'une fois sur le bracelet (par exemple le coquillage gris
entre deux noirs) : cela donne un point de départ
pour faire les comparaisons.

 ## Crypto-mots I

Fusion ; fiston ; natifs ; tisane ; infect ; notice ; techno.
Vous ne voyez pas le rapport avec vos vacances ?
C'est qu'elles ne sont pas terminées…

Crypto-mots II

Reggae ; gagner ; argent ; nature ; tourne ; ouvert ; groove.
Vous avez eu raison d'emporter ce livre en Jamaïque.
Sa couverture vous sera certainement utile.

Le nombre de la fin

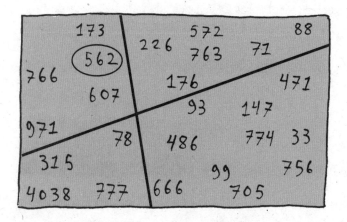

Une fois les 7 barrés, il reste 562. Une fois les nombres
avec 5, 6 ou 2 barrés, il ne reste que 3 nombres : 33, 93
et 99. Or, 99, c'est le nombre de mouches que vous avez
écrasées depuis le début de vos vacances. Et voilà pourquoi
votre fille est muette !

Aux douches du camping

Betty en premier, suivie de Chloé, Olga, Sally et Noémie.

S'il y a 2 menteuses… La première ne peut être Noémie, Olga, Sally ou Chloé, car si c'était le cas, elles diraient vrai ; or, on sait que la première a menti. Il ne reste que Betty. Betty étant la première arrivée, Noémie est donc en train de mentir. L'autre menteuse était la dernière. Reste à placer les 3 autres. Olga suit Chloé (selon Chloé qui dit vrai) et Sally vient après Olga (pour que l'affirmation de Betty soit effectivement fausse).

Laissez tomber ; de toute façon il n'y a plus d'eau chaude : lavez-vous dans la mer.

Visite à l'arboretum

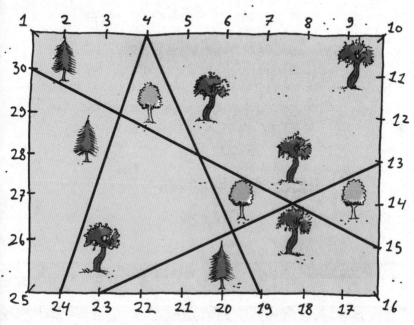

Vous avez fini de défigurer l'arboretum. Les vacances ne sont pas terminées, il vous reste encore à faire des graffitis sur les murs du musée de la tuile et de la maison de la truffe.

Un manuscrit au grenier

Après le premier lecteur, les feuilles sont en ordre inverse mais toujours avec les numéros impairs vers le haut (79 en haut de la pile). Après le second lecteur, les feuilles sont de nouveau en ordre croissant de haut en bas, mais les feuilles sont retournées avec les numéros pairs vers le haut (2 en haut de la pile). Si on retourne cette pile nous avons donc 79 tout en haut (et 2 tout en bas face à la table).

Dates de vacances

| 1 | 2 | 3 | 4 | 5 | 6 | 7 | 8 | 9 | 10 | 11 | 12 | 13 | 14 | 15 | 16 | 17 | 18 | 19 | 20 | 21 | 22 | 23 | 24 | 25 | 26 | 27 |

Karine

Pauline

Fatima

Charlotte

Si Karine part le jour 1 et revient le jour 28, Pauline part
le jour 10 et Fatima revient le jour 23.

Charlotte est donc partie le jour 9 pour revenir le jour 24,
soit 16 jours de vacances.

Pauline a donc pris 18 jours de vacances et Fatima
seulement 11.

Si Pauline part le jour 10, elle revient le jour 27.
Comme Fatima revient le jour 23, elle est partie le 13.

Ce qui donne le calendrier suivant :

Jour 1, départ de Karine. Jour 9, départ de Charlotte. Jour 10,
départ de Pauline. Jour 13, départ de Fatima. Jour 23, retour
de Fatima. Jour 24, retour de Charlotte. Jour 27, retour
de Pauline. Jour 28, retour de Karine.

Alignements sur la plage

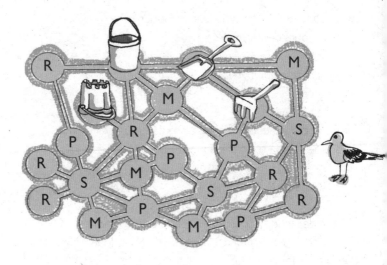

Seaux = S ; pelles = P ; râteaux = R et moules = M.

Le râteau apparaît le plus souvent, 7 fois.

Rendez ses jouets au petit, ses parents reviennent.

Jardin de sculptures

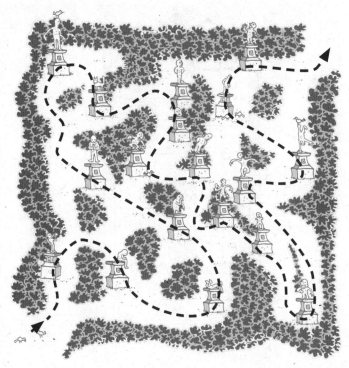

Vous n'avez aucun respect pour l'art. Reprenez la bouée-canard que vous avez déposée sur la tête de Diane.

Le mot qui manque

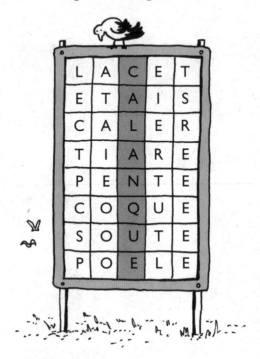

À table !

1. Marianne ; 2. Paul ; 3. Lise ; 4. Christophe ; 5. Daniel ;
6. Michel.

Daniel est en face d'une femme et à la gauche d'un homme.
Cela ne peut correspondre qu'à 5. En effet, 4 est à la gauche

d'une femme – ne pas confondre « à gauche de » sur le dessin, et « à la gauche de » du côté de la main gauche de cette personne. Une fois Daniel placé, tout doit couler de source.

Sauf que votre plan de table ne tiendra pas jusqu'au dessert parce que Daniel a le vin triste. À l'avenir, invitez Daniel pour un apéritif sans alcool. Tout seul.

 # Mots-disques

Disc-jockey, discordant, discours, discourtois, discret, discrimination, disque dur, disqualifié.

Votre fils travaille enfin pour se payer des vacances sans vous. Ressortez vos vinyles de Joe Dassin.

Parasols

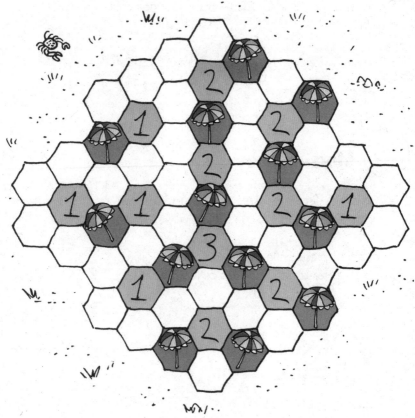

Ballons de plage

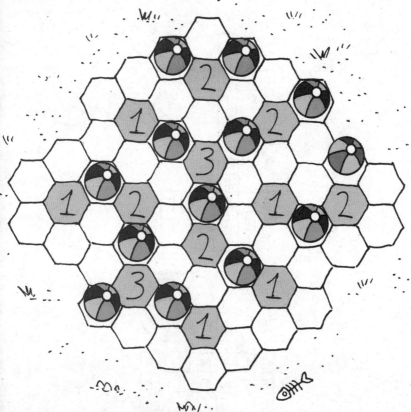

Le trésor du château

Vous trouverez le trésor à l'emplacement indiqué dans le plan C.

Trois croix

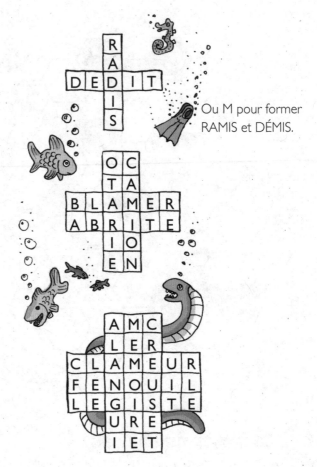

```
      R
      A
D E D I T
      I
      S
```

Ou M pour former
RAMIS et DÉMIS.

```
  O C
  T A
B L A M E R
A B R I T E
  I O
  E N
```

```
  A M C
  L E R
C L A M E U R
F E N O U I L
L E G I S T E
U R E
I E T
```

Cette croix vous évoque l'enseigne d'une pharmacie ?
Il est temps de vous mettre à l'ombre.

Opération de plage

Parasol = 6 ; seau = 1 ; ballon = 7 ; râteau = 8 ; étoile = 9.

6 + 1 = 7 ; 7 + 1 = 8 ; 9 + 9 = 18 ; 7 + 9 = 16.

On voit avec la troisième égalité que l'étoile est un chiffre supérieur à 4 (résultat à 2 chiffres), que le seau ne peut être que 1 et que le rateau est un chiffre pair.
Ces constatations appliquées à la deuxième égalité (1 + seau = un chiffre pair), on voit que le ballon ne peut valoir que 3, 5 ou 7 et le râteau 4, 6 ou 8.

En essayant successivement ces valeurs, on trouve rapidement la solution.

Soirée costumée

1. Pierre ; 2. Ronald ; 3. Yvan ; 4. Erwan ; et 5. Mathieu.

Comme Ronald et Erwan n'ont pas de moustache, ils sont 2, 3 ou 4 ; comme ils portent le même chapeau, ils doivent être 2 et 4. Mathieu et Pierre ont la même veste : il ne reste que 1 et 5 ayant la même veste, etc.

Votre déguisement de tomate transgénique a eu beaucoup de succès. Le voisin cultivateur vous a jeté dans la piscine par pure jalousie.

Citation nuageuse

Lorsqu'il n'y a pas de nuages à l'horizon, il se trouve toujours quelqu'un pour déclarer que ça ne peut pas durer…

Vacanciers

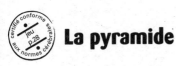

La pyramide

$$9 \times 9 + 7 = 88$$

$$98 \times 9 + 6 = 888$$

$$987 \times 9 + 5 = 8888$$

$$9876 \times 9 + 4 = 88888$$

$$98765 \times 9 + 3 = 888888$$

$$987654 \times 9 + 2 = 8888888$$

$$9876543 \times 9 + 1 = 88888888$$

$$98765432 \times 9 + 0 = 888888888$$

 # Parasol à part

3.

Les bandes de couleur de tous les parasols viennent
par 2 ou par 4, sauf dans le n°3 où il y a 3 bandes blanches
et 3 noires.

Cubes

7. (1-5 ; 2-9 ; 3-4 ; 6-8). Cessez de jouer avec des cubes apéritifs fondus, cela fausse la réponse.

Mosaïque

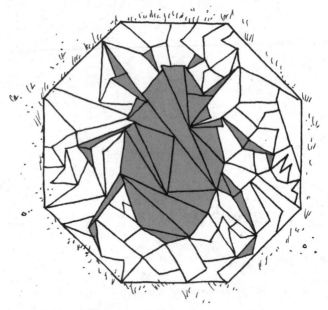

Vous avez maintenant la preuve que les puces de plage remontent à la plus haute Antiquité.

Mot d'été

I-B ; 2-A ; 3-N ; 4-I ; 5-C ; 6-E ce qui donne **cabine.**

Alignements magiques

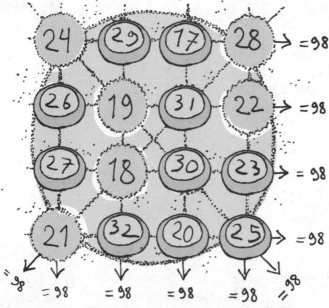

Tracez encore plein d'autres signes dans le sable d'un air absorbé, en poussant de petits cris. Vous ferez le vide autour de votre serviette.

Thé ou café ?

CAFÉ

MOULR : CAMOUFLER

ESLFR : ESCLAFFER

RA : CARAFE

HUFAG : CHAUFFAGE

LI : CALIFE

THÉ

ISM : ISTHME

FEIC : FÉTICHE

ARROS : ARTHROSE

Vos hôtes vous apprécient ? Attendez la fin des vacances pour tremper votre toast au beurre de pinottes dans votre tasse de café.

L'agence de voyages

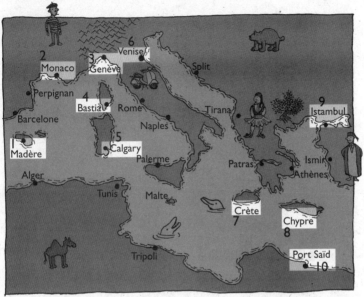

1. Madère est dans l'Atlantique, ici ce sont les Baléares.

2. Monaco a pris la place de Marseille.

3. Ce n'est pas Genève, mais Gênes.

4. La Corse est tête en bas !

5. Calgary est au Canada ; en Sardaigne, c'est Cagliari.

6. Venise est plus au nord, ici ce serait plutôt Ravenne.

7. Il n'y a pas d'île ici. La Crète se trouve à l'endroit indiqué comme étant Chypre.

8. Chypre se trouve bien plus à l'est.

9. Istanbul se trouve plus à l'est, de l'autre côté de la mer de Marmara.

10. Port Saïd est beaucoup plus à l'est.

Vous partiez pour le Mexique et vous voilà à Plougastel… Vous tenez enfin le sujet de votre prochain roman ! Appelez votre éditeur à New York et sablez le champagne en duplex.

Les sabliers I

Retournez les sabliers. Dès que le sablier de 4 min est vide, commencez vos 6 min de cuisson et retournez le sablier de 4 min. Quand le grand sablier est vide, il s'est écoulé 3 min : retournez aussitôt le petit sablier (dans lequel il s'est écoulé 3 min aussi). Dès que ce sablier-là est vide, arrêtez votre décompte de temps : les 6 min de cuisson se sont écoulées. Il vous aura donc fallu 4 min de préparation + les 6 min décomptées.

Le barbecue prend feu, arrêtez de jouer.

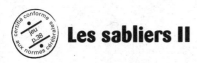

Les sabliers II

Retournez les sabliers. Dès que le sablier de 5 min est vide, retournez-le. Quand le grand sablier est vide, commencez à compter. Il reste 3 min de sable à écouler dans le sablier de 5 min. Dès qu'il est vide, retournez le sablier puis une fois encore à la fin des 5 min : 3 + 5 + 5 = 13.

7 min de préparation + 13 min de cuisson.

Il y a d'autres solutions, mais qui prennent plus de temps de préparation. Or vous avez mieux à faire (chercher d'urgence un extincteur).

La villa des Flots Bleus

8 trajets différents :

A B C E D F G H I J

A B C E D F H G I J

A B D F G H I E C J

A B D F H G I E C J

A D F G H I E B C J

A D F H G I E B C J

A F G H I E D B C J

A F H G I E D B C J

Raymond mène la visite au pas de charge et ne passe jamais deux fois par la même pièce parce que la villa des Flots Bleus est construite sur un cimetière indien. La petite fait des cauchemars depuis le début des vacances. Rentrez.

 ## Récit-rébus

Mare - dix - A - mie - Nu - i - G - an t'an - du - I - c' riz.

Mardi à minuit, j'ai entendu un cri.

Geai - deux ment - dé - C - toit - qui - cric - homme - un - putois.

J'ai demandé : « C'est toi qui crie comme un putois ? »

Aile A - ré - pont du - jet sur prix - un banc dit K -chez sous mon - lit.

Elle a répondu : « J'ai surpris un bandit caché sous mon lit ! »

Pourquoi vous entêter ? Quittez la villa des Flots Bleus ou la petite finira à l'hôpital psychiatrique.

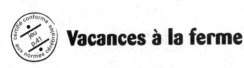

Vacances à la ferme

1. Beque ; 2. Coin-coin ; 3. Mangetout ; 4. Régime ; 5. Non-non ; 6. Pondeuse ; 7. Splouf ; 8. Odette ; 9. Karpi ; 10. Duvet.

Selon 2, seuls 9, 4 et 3 se trouvent entre 2 espèces différentes. Ce sont donc K, M et R.

Il n'y a qu'un canard devant l'un de ceux-ci, le 2. Donc, selon 1, n° 2 est Coin-coin et n° 3 est Mangetout. Considérons l'affirmation 5 : il n'y a que 2 poules possibles pour encadrer Splouf, ce sont les n° 8 et 6. Donc n° 7 est Splouf. Et (selon 3) Pondeuse est n° 6, donc n° 8 est Odette. Toujours selon 3, Non-non doit être n° 5 ; donc n° 4 est Régime. N° 9, nous l'avons vu, était K, M ou R. Comme M et R sont placés, n° 9 est Karpi. Il reste Beque et Duvet à chaque extrémité et comme B est plus vers l'avant, n° 1 = Beque et n° 10 = Duvet.

Splouf n'est pas parti en vacances aux Baléares, vos enfants ne sont pas dupes. Faites-leur goûter ce confit de canard.

De la plage à la mer

Sable, salle, salue, saque, vaque, vague.

Sable, salle, salue, value, vague.

Avant d'affronter la vague, vous êtes passé par la salle des fêtes, vous avez salué les voisins que vous ne pouvez pas sentir et vous avez vaqué à toutes les tâches ménagères. Pour gagner du temps, surmontez votre phobie de la mer : prenez des leçons de natation.

Les glaces de l'été

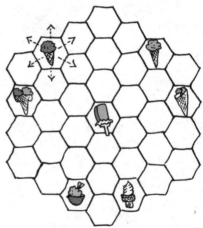

Une solution parmi d'autres:…

jeu
p.44

Suivez les drapeaux

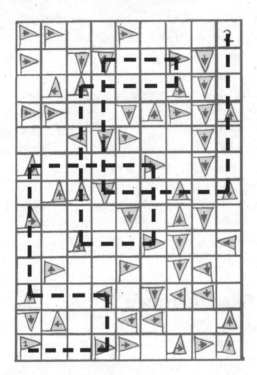

jeu
p.45

Le régime de l'été

Bonbon, navet, bœuf, poire, rôti, veau, chou, côte, porc, marron, épice, sauce, filet, gratin, lotte, ail, lard, farce, pain, confit, raie, salade, salami, menu, vivres, repas.

« Allons **bon**, **Bon**té divine ! » s'écria Barnave Tuboeuf en quittant L'Espoir Ethylique, ce bistrot infâme qui se trouve au coin de la rue de La **Chou**ette, juste à **côté** du porche marron au crépi centenaire et des halles au centre de la ville. C'était un personnage mal rasé, au regard qui file toujours de biais, ingrat, insolent, à la mine pâlotte. Soudain, ce gaillard, sans doute pour faire une farce, frappa inexplicablement des jumeaux qui passaient par là, s'écria « J'ai oublié mon flacon ! », fit demi-tour et ajouta « J'irai en acheter un autre. » Il passa la dernière partie de la nuit au commissariat où il dégrisa, la mine défaite. Comme nul ne peut expliquer son geste et que chacun doit vivre selon son idée, nous terminons ici le récit de cette affaire pas très nette.

Laissez tomber ce régime. C'est trop tard, de toute façon.

Cure thermale

Prise avec modération, l'eau ne peut nuire à la santé.
(Mark Twain)

Mots barrés :

1. Aux, oh, haut, os, au.

2. Minérale, gazeuse, bénite, oxygénée, distillée.

3. Marteau, drapeau, tableau, chapeau, cerveau.

4. Javel, toilette, pluie, source, Cologne.

5. Nature, autre, tanguer, amuser, manuel.

6. Goutte, jet, verre, château, pièce.

7. Liquide, incolore, inodore, quand, est.

8. Affolons, coloris, négociation, moutons, motos.

Vos voisins de transat sont bruyants ? Proposez-leur de deviner la règle du jeu à partir de la solution et fermez les yeux.

Maillot ou dessert

Commencez en barrant la première lettre, puis une lettre sur trois.

Plus un régime est restrictif, plus il alimente la conversation.

Le rock et les coups de soleil

1. Incompatible. Seules les personnes coléreuses ont des coups de soleil, et les personnes coléreuses n'aiment pas le rock. Comme Héloïse aime le rock, elle ne peut avoir de coups de soleil.

2. Compatible. Seules les personnes coléreuses ont des coups de soleil, mais pas toutes les personnes coléreuses. Louis peut être un de ceux qui n'ont pas de coups de soleil.

3. Incompatible. Comme tous les habitants d'Ouça ont des coups de soleil, ils sont tous coléreux ; or les coléreux n'aiment pas le rock, contrairement à Héloïse.

4. Compatible. Elle n'a pas de coups de soleil, elle n'est donc pas nécessairement coléreuse et donc elle peut aimer le rock.

Vous aimez la musique baroque, vous êtes une personne douce et vous avez un joli teint hâlé ? Passez à un autre jeu, vous n'êtes pas concerné.

Bronzage modèle

Le sac n° 4. Trop petit pour contenir la lampe à bronzer de Mélissa.

Le cadenas

4 7 3 8 : voilà le code !

On peut résoudre ce casse-tête par quelques essais successifs, sans avoir recours à l'algèbre. Mais pour faciliter les explications, nous nommerons (comme en algèbre) le premier chiffre A, le second B, etc.

Comme A + B + C + D = 22, et que A + B = C + D, on sait que A + B = 11 et C + D = 11 aussi.

Comme D = 2A, nous savons que D est un chiffre pair.

Si D = 2, comme C + D = 11, C = 9. Comme D = 2A, A = 1. Comme A + B = 11, B = 10 (impossible).

Si D = 4, comme C + D = 11, C = 7. Comme D = 2A, A = 2. Comme A + B = 11, B = 9.

Mais A + D = A × C et ici 2 + 4 ≠ 2 × 7 (impossible).

Si D = 6, comme C + D = 11, C = 5. Comme D = 2A, A = 3. Comme A + B = 11, B = 8.

Mais A + D = A × C et ici 3 + 6 ≠ 3 × 5 (impossible).

Si D = 8, comme C + D = 11, C = 3. Comme D = 2A, A = 4. Comme A + B = 11, B = 7.

Et comme A + D = A × C nous avons 4 + 8 = 4 × 3.

Si vous n'avez pas de barre à mine, un bâton de dynamite peut faire l'affaire.

Anachrostiche I

D	E	R	I	V	E
U	S	E	R	A	S
A	T	R	O	C	E
F	I	S	C	A	L
A	V	I	O	N	S
M	A	L	I	C	E
G	L	A	N	E	R
D	E	P	O	S	E

Estivale ; vacances.

Anachrostiche II

E	D	I	C	T	E
G	A	L	E	T	
S	U	I	T	E	S
A	P	L	A	T	
C	H	I	C	O	N
C	I	T	E	R	
A	N	E	S	S	E

Dauphin ; cétacés.

Secouez ce livre. Il est plein de puces de sable écrasées.

Café au lait

Solution de facilité : prenez la tasse 2 et buvez la moitié du café. Prenez ensuite la tasse 4 et buvez la moitié du lait. On a ainsi l'équivalent d'une tasse de café et une tasse de lait le long de chaque côté.

Solution plus complexe, sans modifier la quantité de café initiale : prenez la tasse 4 et versez un quart du lait

en 3. Ensuite, prenez la tasse 2 et versez un quart du café
en 3 et un autre quart en 4. Ce qui donne une tasse
et un quart de lait et la même quantité de café le long
de chaque côté.

Pour plus de clarté, dans les schémas ci-dessous, nous avons
« séparé » le café du lait dans le café au lait.

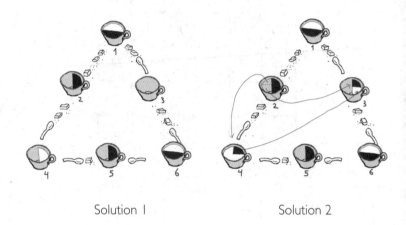

Solution 1   Solution 2

Avant de vous faire une toast au beurre de pinottes,
relisez le conseil de la page 100.

Mots découpés I

O	L	A	R	A	N
R	I	T	D	R	O
L	E	M	R	I	G
E	N	T	S	E	I
D	P	S	U	E	L
H	I	L	A	T	E

①

D	R	O	L	E	M	E	N	T
R	I	G	O	L	A	D	E	S
S	P	I	R	I	T	U	E	L
H	I	L	A	R	A	N	T	E

②

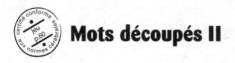

Mots découpés II

①
L	I	C	R	I	E
T	R	A	I	T	E
D	U	P	I	T	E
S	N	O	S	I	H
T	R	O	N	O	I
E	S	P	M	P	E

T	R	O	M	P	E	R	I	E
	E	S	P	I	O	N	I	T	E
	T	R	A	H	I	S	O	N	S
②	D	U	P	L	I	C	I	T	E

Pour placer les S de la manière indiquée, il fallait tourner la pièce grisée de haut en bas.

116

Bronzette

Élisa.

Les première et troisième affirmations concernent la plus grande des trois. Comme seule Sarah est présente dans les deux affirmations, ce doit être elle la plus grande des trois. Il s'ensuit donc que Sarah est plus jeune que Noémie mais plus âgée qu'Élisa. La plus âgée des trois amies est donc Noémie, et nous voyons avec la seconde affirmation qu'elle est plus grande qu'Élisa.

Âge en ordre décroissant : Noémie, Sarah, Élisa.

Taille en ordre décroissant : Sarah, Noémie, Élisa.

Élisa est bien la plus petite.

Elle a parfait son bronzage en faisant de la lutte romaine sur les plateaux de l'Himalaya : ne l'abordez pas inconsidérément.

Par les nuits de pleine lune...

Monsieur Dupont devient « le loup de minuit ».

Changez d'emplacement, mais revenez l'an prochain : le camping sans Dupont, c'est comme un été sans apéritifs.

Le tour de l'assiette

Plus un régime est austère, plus il alimente la conversation.
La citation commence avec le p juste à gauche du centre
en haut.
Vous avez déjà lu une affirmation de ce genre très
récemment. Ce n'est pas un hasard. L'obsession des régimes
affecte même les auteurs de jeux.

Les bagages

Charles-Bernard a les articles de fumeur et ceux
comportant des lettres (briquet + allumettes) ; on
remarquera que le briquet porte l'initiale de son prénom.
Quant aux autres lots, pipe et crayon (bois) sont à Paul,
cadenas et chaîne (métal) sont à William, collier et bague
appartiennent à Florence. Trois articles ne correspondent
qu'à une seule condition : la bague, le collier de perles et le
crayon. Bague et collier sont donc à Florence. Le crayon est
en bois et peut aller avec les allumettes ou la pipe. Si on le
combine avec les allumettes, les articles pour fumeur seront
le briquet et la pipe, et les articles en métal le cadenas et la
chaîne, mais cela ne prend pas en compte le lot comportant
des lettres. Il faut donc associer le crayon à la pipe,
les allumettes au briquet (à la fois pour fumeur
et comportant des lettres), cadenas et chaîne formant
le dernier lot.

Si vous n'aimez pas jouer, faites valise à part la prochaine fois
(mais qui vous a offert ce livre ?).

Lab-dessins

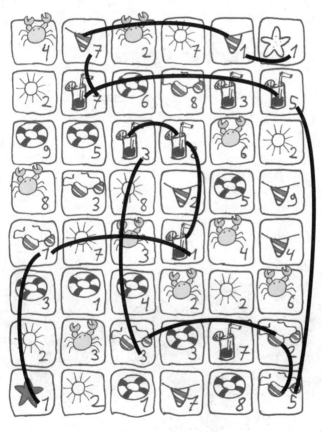

Les pots de fleurs

1-3-5 ; 2-4-8 ; 6-7-9.

Vos hôtes ont apprécié le cadeau. Vous n'auriez pas renversé le sac de terreau dans la piscine qu'ils auraient été comblés.

Vacances en Égypte

J'ai achevé un monument plus haut que la royale structure des pyramides. L'écrivain parlait de son œuvre littéraire.

Au casino

A-4 ; B-3 ; C-1 ; D-8 ; E-2 ; F-9 ; G-7 ; H-6 ; I-5.

3 jetons sont posés sur d'autres (C, F, H)
et ils correspondent aux n° 1, 9 et 6 (affirmations).

Le 5 est sous le 6. Deux possibilités : B = 5 et C = 6
ou I = 5 et H = 6.

Quoi qu'il en soit, C, F et H = 1, 6, 9 (dans un ordre
ou un autre).

2 ne touche que 2 pions, donc soit B, soit E (excluons H qui
vaut, comme nous l'avons vu 1, 6 ou 9). Comme le 2 touche
2 pions à la valeur totale de 10, si 2 = B, C ne peut valoir 9
ou 1, car A devrait valoir 1 ou 9 et nous savons que 1 et 9
sont C, F ou H. Si 2 = B alors C ne peut valoir que 6, mais,
ceci rend impossible le fait que 5 est sous un seul jeton : le
6. Donc 2 n'est pas B, et la seule possibilité est que 2 = E
et C et F = 9 et 1 (dans un ordre ou un autre). Donc 6 = H
et 5 = I.

A ne peut être 3 (qui touche plus de jetons que 4 et A n'en
touche qu'un), ni 7 (qui touche plus de 2 jetons), ni 8
(sous 9), ni 2 (E), ni 5 (I), ni 6 (H), ni 1, 9 (CF). Il ne reste
que la possibilité 4 = A.

7 ne peut être B (touche plus de deux jetons), il ne reste
donc que la possibilité D ou G.

Nous savons que 1 est sur un total de 13. Si F = 1, comme
E = 2 et D ou G = 7, la troisième valeur doit être égale à 4,
mais ceci est impossible puisque 4 = A. Donc c'est I = C
et 9 = F. Sous le 1 (C), pour avoir un total de 13, nous avons
E = 2 et 8 + 3 (seules valeurs disponibles) ; comme 8
est sous 9, 8 = D et 3 = B. ce qui donne 7 = G.

Vous êtes tout pâle. Laissez tomber les jeux de casino
et joignez-vous au club de pétanque !

Trois mini mots-croisés

I.

	1	2	3
I	L E G E R
	I	A	A
II	M U L E S
	E	O	E
III	S U P E R

2.

🍄 = A
🌰 = R
🦒 = E

3.

L	O	C	A	L
A		O		I
B	E	L	L	E
E		L		U
L	I	E	G	E

Visite au musée d'art moderne

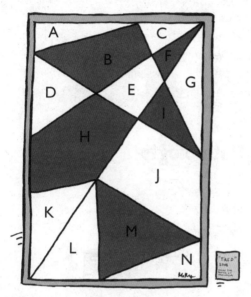

14 triangles.
A-B-C-D ; A-B-C-D-E-F-H-K ; B-E-I ; C-F ; C-F-G D-H-K ;
E-F ; E-I ; E-F-H-K ; E-F-G-I ; F-G ; G-I ; G-I-J ; G-I-J-L-M-N.

Club de pétanque

Machprot se trompe. Si on exclut son affirmation,
les 3 autres sont cohérentes.
Sur 64 membres, 6,25 % représente 4 personnes,
soit effectivement 1 sur 16.
Le club de pétanque ressemble à un club de maths.
Retournez au casino.

Tintinologie

1.
C. Tryphon.

2.
B. Nestor.

3.
A. *Le Karaboudjan. L'Aurore* est le bateau de *L'étoile mystérieuse.*

4.
C. *Tintin au pays de l'or noir.* Dans *On a marché sur la Lune,*
il s'agit d'une rechute.

5.
C. Agent d'assurance.

6.
B. *Tintin au pays des Soviets.*

7.
A. Dans une cruche qu'il porte sur la tête.

8.
A. Bachibouzouk.

9.
C. Le général Alcazar.

10.
C. *Tintin et les Picaros.*

Vous avez presque fini tous les jeux ? Relire *Tintin au soleil* est une autre façon de bronzer intelligemment, quelle chance vous avez !

Labatrou

Dix derniers petits jeux

1. Le chiffre de la fin
2.

2. Date de naissance
1832, date de naissance de Charles Dodgson, plus connu sous le nom de Lewis Carroll, logicien et romancier.
Si B = 4 × D, comme B est entre 1 et 9, il n'y a que 2 possibilités, B = 4 et D = 1, ou B = 8 et D = 2.
Si B = 4 et D = 1 alors, selon la dernière égalité (C × D = B - D), C = 3.
Ce qui donne pour C – D = A, 3 – 1 = 2 et la date obtenue est 2432, qui sera peut-être la date de naissance d'un logicien, mais ne correspond pas à la question.
Si B = 8 et D = 2, alors, selon la dernière égalité (C × D = B - D), C = 3.

Ce qui donne pour C – D = A, 3 – 2 = 1 et la date
obtenue est 1832, date comme nous l'avons dit
de la naissance du père d'Alice.

3. Lettre-plus
La lettre C pour former concocter, cicatrice, crécelle
et succincte.

4. À chacun son métier
Administrateur. Les 3 premières lettres du prénom suivent
d'une place dans l'alphabet les 3 premières lettres du métier.
Donc, pour Benoît, il faut trouver un métier qui commence
avec ADM. Un seul métier correspond : administrateur.

5. Famille
7 enfants. 3 filles et 4 garçons. Lucie a donc 2 sœurs
et 4 frères, et Richard 3 sœurs et 3 frères.

6. Charade I
Fou – rage – air = fourragère.

7. Charade II
Paire – if – air – hi ! = périphérie.

8. Lettres imbriquées I
Organisateur.

9. Lettres imbriquées II
Perturbation.

10. Vésuve
Lave, cratère, magma, cheminée, panache, fumerolle, caldeira.

Direction éditoriale : Christophe Savouré
Édition : Hélène Raviart
Contribution éditoriale : Valérie Monnet
Direction de création : Laurent Quellet
Conception graphique
et direction artistique : Isabelle Mayer
Mise en pages : Black & White
Fabrication : Annie Laurie Clément

DISTRIBUTEURS EXCLUSIFS :

• Pour le Canada et les États-Unis :
  MESSAGERIES ADP*
  2315, rue de la Province
  Longueuil, Québec J4G 1G4
  Tél. : 450 640-1237
  Télécopieur : 450 674-6237
  Internet : www.messageries-adp.com
  * filiale du Groupe Sogides inc.,
    filiale du Groupe Livre Quebecor Media inc.

Catalogage avant publication de Bibliothèque et Archives
nationales du Québec et Bibliothèque et Archives Canada

Myers, Bernard

  70 jeux et des broutilles pour bronzer à la plage

  ISBN 978-2-89117-064-2

  1. Jeux intellectuels. I. Titre. II. Titre : Soixante-dix jeux et des
broutilles pour bronzer à la plage.

GV1493.M934 2009   793.73   C2009-940271-8

Pour en savoir davantage sur nos publications,
visitez notre site : **www.presseslibres.com**
Autres sites à visiter : www.edhomme.com
www.edjour.com • www.edtypo.com
www.edvlb.com • www.edhexagone.com
www.edutilis.com

02-09

© Groupe Fleurus, Paris, mai 2008
Dépôt légal : mai 2008

© 2009, Les Presses Libres,
division du Groupe Sogides inc.,
filiale du Groupe Livre Quebecor Media inc.
(Montréal, Québec)

Dépôt légal : 2009
Bibliothèque et Archives nationales du Québec

ISBN 978-2-89117-064-2

Gouvernement du Québec – Programme de crédit
d'impôt pour l'édition de livres – Gestion SODEC –
www.sodec.gouv.qc.ca

L'Éditeur bénéficie du soutien de la Société de
développement des entreprises culturelles du
Québec pour son programme d'édition.

Le Conseil des Arts du Canada
The Canada Council for the Arts

Nous remercions le Conseil des Arts du Canada de
l'aide accordée à notre programme de publication.

Nous reconnaissons l'aide financière du gouvernement du Canada par l'entremise du Programme
d'aide au développement de l'industrie de l'édition
(PADIÉ) pour nos activités d'édition.

Achevé d'imprimer au Canada
sur papier Enviro 100 % recyclé
sur les presses de Imprimerie Lebonfon Inc.